Gigi Schweikert

«Soy una buena madre»

Un Libro Devocional para la no tan perfecta mamá

Publicado por
Editorial Unilit
Miami, Fl. 33172
Derechos reservados

© 2006 Editorial Unilit (Spanish translation)
Primera edición 2006

© 2005 por Gigi Schweikert
Originalmente publicado en inglés con el título:
I'm a Good Mother por Gigi Taylor Schweikert.
Publicado por Howard Publishing Co.,
3117 North 7th Street,
West Monroe, LA 71291-2227

Traducción: Raquel Monsalve

Las citas bíblicas se tomaron de la Santa Biblia, Versión Reina Valera 1960 © Sociedades Bíblicas Unidas; *La Santa Biblia, Nueva Versión Internacional* © 1999 por la Sociedad Bíblica Internacional; *La Biblia de las Américas* © 1986 por The Lockman Foundation; *La Biblia al Día.* © 1979 por la Sociedad Bíblica Internacional; y *Dios Habla Hoy*, la Biblia en Versión Popular © 1966,1970,1979 por la Sociedad Bíblica Americana, Nueva York. Usadas con permiso.

Producto 495434
ISBN 0-7899-1383-6
Impreso en Colombia
Printed in Colombia

Categoría: Inspiración/Motivación/Devocional
Category: Inspiration/Motivational/Devotionals

A todas las madres
buenas… en especial
a mi madre

Contenido

Introducción

Eres una buena madre. Aunque quizá no siempre te parezca que eres una buena madre ni actúes como tal, sobre todo al final de un largo día, Dios decidió darte un hijo. Dios ve una «buena madre» en ti aun cuando no lo veas tú.

Sin embargo, Él no solo dejó caer ese bebé en el umbral de tu puerta prometiendo volver a preguntar cuando fuera un adulto. No, Dios está siempre a tu lado, ya sea que mezas a tu hijo durante una noche de insomnio, de pie junto a su cama cuando está enfermo o mirando a tu hija cuando anota el gol de la victoria en el campo de fútbol.

A medida que leas este libro de devocionales diarios, afirma la buena madre que eres al poner una estrella en los capítulos que ya eres ejemplo. Luego forja tu éxito mediante el establecimiento de metas para las actividades de Hoy. (Ahora mismo tu principal meta quizá sea tener tiempo para darte una ducha hoy). De día en día, incorpora actividades como soñar, leer o cantar con tu hijo. Los pequeños cambios son determinantes.

Recuerda la bendición que tienes. Dios te escogió para que criaras a tu hermoso hijo. Puso en ti lo que necesitas para ser una madre capaz. Sabe que cometerás algunos errores, pero también sabe que puedes ser una buena madre.

Como madre que consuela a su hijo,
así yo los consolaré a ustedes.

ISAÍAS 66:13

1

«Soy la influencia más
importante en la vida
de mi hijo y su maestra
para toda la vida».

A veces, ser mamá puede ser abrumador. A menudo me pregunto si actúo bien, dándole a mi hijo el amor, la atención y la disciplina que necesita para tener éxito en sus estudios y en la vida. Necesito recordar lo bendecida que soy y que Dios me eligió para criar a este hermoso hijo porque sabe que soy capaz. Comprende que cometeré algunos errores, pero también sabe que seré una buena madre.

Hoy

Seré una madre
segura y le agradeceré
a Dios la oportunidad
de criar a mi hijo.

Querido Señor, ayúdame a ser una buena madre. Llena mi corazón de la confianza y la comprensión de que tú confías en mí para que cuide y enseñe a este hermoso hijo.

*Enséñale al niño a elegir
la senda recta, y cuando sea mayor
permanecerá en ella.*

PROVERBIOS 22:6, LBD

2

«Paso tiempo con mi hijo a fin de hablarle y enseñarle».

A menudo estoy tan ocupada con las tareas de mi hogar, las diligencias que tengo que hacer y llevando a mi hijo a sus actividades, que me pregunto cuánto tiempo en realidad paso a su lado. Sí, siempre estoy cerca de mi hijo, ¿pero solo corremos de un lugar a otro y de una tarea a otra? ¿Me detuve para hablar con mi hijo y jugar con él? No me quiero perder estos fugaces momentos de su niñez. ¿Qué diría Dios que es lo más importante? Quiero crear una guirnalda de gracia en la cabeza de mi hijo.

Hoy

Jugaré con mi hijo. Juntos leeremos
un libro, daremos una caminata o jugaremos
un juego de mesa. Hablaré
con mi hijo y disfrutaré de su compañía.

Querido Padre celestial, mientras recorro el día, ayúdame a ir más despacio y a disfrutar de cada precioso momento con mi hijo. Enséñame a estar *con* mi hijo, no solo a su alrededor.

Oye, hijo mío, la instrucción de tu padre,
y no abandones la enseñanza de tu madre;
porque guirnalda de gracia son para
tu cabeza, y collares para tu cuello.

PROVERBIOS 1:8-9, LBLA

3

«Protejo a mi hija de manera emocional y física».

Como madre, creo que mi trabajo más importante es proteger a mi hija. Me preocupo de que mi hogar sea seguro, y le enseño sobre los incendios y los sentimientos, pero no siempre puedo evitar que le sucedan cosas malas. Algunas veces se enferma, lastima o está triste, y me pregunto si he hecho mi trabajo lo bastante bien. Con todo, Dios es el verdadero Protector de mi hija, y debo poner mi confianza en Él. Dios no causó estas cosas que la afligen. Así que Dios me puede ayudar a consolar a mi hija y a fortalecerla para vencer.

Hoy

Consolaré a mi hija de la forma

en que lo necesite. La amaré

y la alentaré para que venza

los problemas de la vida.

Querido Dios, dame la fortaleza y la sabiduría para consolar a mi hija en la enfermedad, la tristeza y el dolor. Protege a mi hija de las dificultades.

Tú eres mi refugio; tú me protegerás del peligro y
me rodearás con cánticos de liberación.

SALMO 32:7

4

«Soy una defensora de mi hijo».

Debido a que mi hijo no siempre puede hablar a su favor, yo soy su voz, su peticionaria, su defensora. Algunas veces mi deseo que el mundo acepte a mi hijo y le agrade es tan grande que en forma injusta o agresiva hago valer sus derechos. Entonces, ¿mis esfuerzos surgen en realidad de las necesidades genuinas de mi hijo o de mi propio deseo de que sea el primero? Dios entiende todo el amor que siento por mi hijo, pero espera que yo sea racional. Las buenas decisiones no se toman basándose solo en los sentimientos. Dios sabe lo que necesita mi hijo y cómo yo lo puedo ayudar mejor.

Hoy

Seré una defensora de mi hijo
que razona. Actuaré basándome
en las necesidades de mi hijo
y no solo en mis emociones.

Querido Señor, modera mis emociones y guíame a
tomar decisiones racionales con respecto a las necesidades
de mi hijo.

*¡Levanta la voz por
los que no tienen voz!*

PROVERBIOS 31:8

5

«Soy la que marca las pautas en las interacciones con mi hija».

«En este momento no». «En cuanto termine esto». «En un minuto». Mi hija dice que los minutos de su mami son mucho más largos que los minutos regulares, y tiene razón. Es fácil sentirse abrumada con mi lista de quehaceres: doblar la ropa lavada, preparar la cena, hablar por teléfono. Mi enojo y mi frustración surgen a borbotones cuando mi hija quiere mi atención y yo estoy tratando de terminar otra cosa más. Imagínate si clamara por el nombre de Dios y Él me respondiera: «Espera un minuto». Sí, hay veces cuando todos necesitamos ser pacientes y esperar, ¿pero le pido siempre a mi hija que espere? La lista de quehaceres crece todos los días... y también lo hace mi hija.

Hoy

Cuando mi hija me tire de las piernas o me
llame: «Mami», voy a volverme a ella y la
atenderé. Aun así, quizá necesite esperar, pero
le daré una respuesta amable, reconociendo
que cada momento con ella es un regalo.

Querido Señor, gracias por mi hija. Ayúdame a ser
lenta para la ira, como eres tú. Cuando mi hija me llame
y yo esté ocupada con las cosas del mundo, permite que
se esfumen mi enojo y mi frustración.

La respuesta amable calma el enojo,
pero la agresiva echa leña al fuego.

PROVERBIOS 15:1

6

«Enseño a mi hijo a ser generoso».

Hay juguetes y regalos, golosinas y juegos. Sin embargo, no importa cuántas de estas cosas tenga mi hijo, siempre va a haber alguien que tenga más... y alguien que tenga menos. Dios le ha dado mucho a mi familia. ¿Cómo le enseño a mi hijo ser agradecido por sus bendiciones y a darles a otros? Comenzaré con lo más sencillo. Mi pequeño hijo puede decir una palabra amable, ofrecer una sonrisa, compartir un juguete o consolar a un amigo. Y mientras crece, lo hará su generosidad. Su medida será grande, pues sin importar lo que tenga, mi hijo siempre puede dar de su amor y su tiempo.

Hoy

Alentaré a mi hijo para que regale uno
de sus juguetes o sus libros a alguien
en necesidad. No será un juguete olvidado
ni un libro roto, sino uno que disfruta.
Con ese acto, le dará a otra persona,
y se dará a sí mismo, el regalo del gozo.

Querido Padre celestial, gracias por tus muchas
bendiciones. Ayuda a mi hijo y ayúdame a mí a compartir-
las con otros. Ayúdanos a dar sin reservas y con gran gozo.

*Den, y se les dará: se les echará en el regazo
una medida llena, apretada, sacudida
y desbordante. Porque con la medida
que midan a otros, se les medirá a ustedes.*

LUCAS 6:38

19

7

«Hago de nuestro
hogar un lugar
de paz y bienestar
para mi hijo».

Mi hijo experimentará golpes y moretones, bravucones y fracaso. Aunque no siempre estaré allí para protegerlo del mundo, puedo hacer de nuestro hogar un lugar de paz. Puedo activar el gozo con galletitas y risas, aplacar las meteduras de pata con curitas y besos, y calmar temores con tibias frazadas y suaves caricias. Dios quiere que vivamos en paz. Puedo aceptar su don de paz haciendo que en nuestro hogar las voces sean bajas cuando en el mundo son altas, haciendo que nuestro hogar sea seguro cuando el mundo nos da temor y haciendo que nuestro hogar sea pacífico cuando el mundo es caótico. No puedo cambiar al mundo. Aun así, mediante el gran sacrificio de Dios, tengo el poder de estar en paz, sobre todo en nuestro hogar.

Hoy

Mi hijo y yo no saldremos corriendo
al atareado mundo. Nos quedaremos en casa,
nos acurrucaremos y encontraremos paz.

Gracias, Dios, por la paz que le has dado a mi hijo y a mí.
Cuando mi hijo esté disgustado o enojado, ayúdame a
consolarlo, a proveerle seguridad y paz en nuestro hogar.

*Yo les he dicho estas cosas para que en mí hallen
paz. En este mundo afrontarán aflicciones,
pero ¡anímense! Yo he vencido al mundo.*

JUAN 16:13

«Tengo amigas
que tienen hijos».

Sin lugar a dudas, ser madre es gratificante, pero a veces me siento sola. Anhelo la conversación del adulto, alguien que entienda lo que se siente al ser madre. Alguien que escuche mis preocupaciones sin necesariamente tratar de arreglarlas. Alguien que ría y llore conmigo. Necesito amigas que sean madres como yo. Al pasar tiempo con otros adultos, veré que no soy la única que tiene «momentos de mami». Tendré un sistema de apoyo de amigas, personas que me ayuden cuando fracaso o me sienta demasiado cansada para seguir adelante.

Hoy

Le voy a pedir a una nueva amiga

que vaya conmigo al parque,

que venga a tomar té o solo para

empujar los cochecitos de bebé por la cuadra.

Padre celestial, tú me has dado mucho. ¿Cómo es posible que a veces me sienta sola? Sin embargo, tú entiendes mi necesidad de tener amigas. Rodéame con el apoyo de otras madres. Dame el valor para dirigirme a una persona que no conozca, a fin de hacer una nueva amistad.

Si caen, el uno levanta al otro.
¡Ay del que cae y no tiene quien lo levante!

ECLESIASTÉS 4:10

«Le enseño a mi hijo la diferencia entre el bien y el mal».

Los niños pequeños tienen muchas cosas que aprender: ser amables los unos con los otros, decir la verdad, ser generosos, trabajar duro, amar a Dios. Todos los días le enseño a mi hijo alguna cosa nueva y le recuerdo lo que ya ha aprendido. Aun así, todavía me pregunto: ¿estará listo para el mundo? Hay muchas decisiones y tentaciones. ¿Hará lo que es bueno? Quizá mi hijo tropiece y se tambalee, pero Dios no lo dejará caer. Dios sujetará a mi hijo de la mano cuando yo no lo pueda hacer.

Hoy

Ayudaré a mi hijo a tomar buenas decisiones y
confiaré en Dios para que ayude a mi hijo
cuando yo no lo puedo ayudar.

Querido Padre celestial, gracias por tomar a mi
hijo de la mano. Él sabe distinguir el bien del mal, pero
hay muchas formas de tropezar. Por favor, toma su
mano con fuerza cuando está en el mundo y yo no puedo
estar a su lado.

*El Señor afirma los pasos del hombre cuando le
agrada su modo de vivir; podrá tropezar, pero no
caerá, porque el Señor lo sostiene de la mano.*

SALMO 37:23-24

10

«Le enseño a mi hijo
a vivir con gozo».

Ser mamá puede ser agotador y frustrante. Es fácil ser negativa: ver la vida con pesimismo y duda. Algunas veces me enfoco en las tareas de cada día y en las dificultades de la vida, aunque hay muchas alegrías delante de mí. La creación de Dios es asombrosa. Sin importar lo difícil que pienses que puede ser el día, siempre hay algo o alguien por lo cual gozarse. Me maravillaré con el sonido de la lluvia, el calor de la mano de mi hijo y el gozo de ser madre.

Hoy

Mi hijo y yo haremos una lista de todas las cosas buenas que hay en nuestras vidas. Anotaremos a familiares y amigos, la buena comida y la ropa que nos abrigan. Agregaremos canciones tontas, lugares favoritos y libros buenos.

Querido Señor, tú has llenado mi vida de mucha alegría. Ábreme los ojos y los oídos para que pueda disfrutar estas bendiciones con mi hijo.

*Les he dicho esto para que tengan mi alegría
y así su alegría sea completa.*

JUAN 15:11

11

«Veo el verdadero éxito de mi hijo en su bondad, compasión y perdón».

¿Cómo definimos el éxito para nuestros hijos? Nuestro mundo valora los sueldos altos, los títulos impresionantes y los autos de lujo. Admito que espero que mi hijo crezca y tenga todas esas cosas y más. Aun así, también quiero que extienda su mano a una persona que no conoce, que tenga compasión de alguien que sufre y que aprenda a perdonar. A propósito o no, la gente dirá y hará cosas que dañen a mi hijo. Tal vez le critique una maestra. Quizá un compañero se burle de él. A lo mejor un niño abusivo le intimide. No quiero que mi hijo sea una víctima, sino que quiero que aprenda a alejarse, a tomar el camino más elevado. Que perdone a otros así como Dios lo perdonó a él.

Hoy

Comenzaré a enseñarle a mi hijo sobre
el perdón al pedirle que me perdone
cuando diga palabras que no sean amables
o cuando pierda la paciencia.

Dios, llena mi corazón de perdón a fin de que pueda derramarlo sobre mi hijo. Por favor, ayúdame a cultivar la bondad, la compasión y el perdón en mi hijo.

Sean bondadosos y compasivos unos con otros,
y perdónense mutuamente, así como Dios
los perdonó a ustedes en Cristo.

EFESIOS 4:32

«Disciplino a mi hijo».

Los pequeños pueden ser muy encantadores, aun cuando son traviesos. Sin embargo, los «no» de los párvulos se convierten en los «no» de los adolescentes y en más si no se corrigen. Es difícil ponerle límites al comportamiento de mi hijo o corregirlo cuando hace algo malo. No soporto verlo llorar cuando lo castigo, y a veces estoy demasiado cansada para molestarme. Dios nos guía y nos corrige con mano suave y amable, y esa es la mejor forma de disciplinar a mi hijo. Ser mamá es más que repartir helados y besos. Necesito la fuerza y la determinación de amar a mi hijo lo suficiente como para mostrarle cómo actuar. Si no lo corrijo de una forma amorosa, el mundo lo hará de una forma dura.

Hoy

Si mi hijo se porta mal, lo corregiré
y le guiaré a hacer lo que es bueno.

Querido Dios, gracias por confiar en mí para ser madre. Dame la sabiduría y la fortaleza para disciplinar a mi hijo en forma consecuente, con amor y suavidad.

Ciertamente, ninguna disciplina,
en el momento de recibirla, parece agradable,
sino más bien penosa; sin embargo,
después produce una cosecha de justicia
y paz para quienes han sido entrenados por ella.

HEBREOS 12:11

13

«Yo descanso
y mi hija descansa».

Nunca he sabido de un trabajo tan difícil como el de la madre. A veces mi mente está cansada y me duele el cuerpo. Cuando siento que no es posible leerle un libro más a mi hija ni preparar una comida más para mi familia, Dios me da las fuerzas.

Con todo, hasta Dios descansó. Cada día dedicaré tiempo para descansar y hacer que mi hija descanse también. Los niños están llenos de curiosidad y de energía. Sin mi suave dirección, mi hija no sabrá descansar ni renovar su cuerpo a fin de continuar en la aventura de crecer. Crearé una rutina diaria para mi hija que equilibre el silencio y el ruido, el juego y el descanso. Y cuado mi hija esté descansando, pasaré por alto las tareas que me rodean y descansaré también.

Hoy

Dormiré la siesta cuando lo haga mi hija.

Si en realidad no puedo dormir,

me acostaré y cerraré los ojos.

Querido Padre celestial, gracias por darme la fuerza de ser madre. Coloca tu mano de paz sobre mí, asegurándome que es bueno descansar. Despéjame la mente de todo el trabajo del día, y ayúdame a descansar y renovar mi cuerpo.

Al llegar el séptimo día, Dios descansó porque había terminado la obra que había emprendido.

GÉNESIS 2:2

14

«Canto con mi hija».

No importa cómo piense que suena mi voz, cuando le canto a mi hija, es un sonido hermoso. Cantaré canciones de niños e himnos antiguos. Le cantaré la canción que mi madre me cantó a mí. Y si no puedo recordar esas canciones, o tal vez no existan dichas canciones, llenaré los recuerdos de mi hija con canciones para que les cante a sus hijos. Cuando mi hija pone sus manos en mis mejillas y me dice: «Canta, mami», voy a cantar. Y cuando Dios nos mire desde arriba, una madre con su hija en brazos haciendo un alegre ruido al Señor, que esta sea una escena que le haga cantar a Él.

Hoy

Mi hijo y yo haremos canciones tontas
acerca de guardar los víveres, de recoger
sus juguetes, buscar gusanos en el patio.
Esta noche cargaré a mi hija y le cantaré
una canción de cuna.

Señor, gracias por darnos el don de la música. Ayúdame
a disfrutar el gozo de cantar con mi hijo.

¡Aclamen alegres al Señor,
habitantes de toda
la tierra! ¡Prorrumpan
en alegres cánticos y salmos!

SALMO 98:4

15

«Guío a nuestra familia para que vivamos unidos».

No hay ningún otro lugar como el hogar. Los sonidos y los aroma familiares, los recuerdos y las tradiciones. Qué diseño tan perfecto hizo Dios en una familia: personas que se aman y que dependen unas de otras, y que tienen metas comunes. Él nos ha dado familias para que no estemos solos. Durante los días en que mis hijos van en diferentes direcciones, me consuelo porque sé que mientras el día se aproxime a su final, todos nos reuniremos otra vez en unidad, como familia. Mis momentos de mayor paz ocurren de noche, cuando toco a mi hijo que duerme y recuerdo que un hogar lleno de amor es un lugar en el que la familia vive unida. Mi hijo sabrá lo que es vivir en familia. Nunca estará solo.

Hoy

Planearé una noche de familia con mi hijo.
Miraremos una película o jugaremos, o solo
hablaremos y disfrutaremos de estar juntos.

Gracias, Dios, por mi hermosa familia. No importa
lo lejos que estemos los unos de los otros, siempre podemos
entrar a nuestro hogar en nuestros corazones porque los
buenos recuerdos están allí... y tú estás también.

*Dios hace habitar en familia
a los desamparados.*

SALMO 68:6, RV-60

16

«Escucho a mi hija».

Mi hija llama: «Mami», tantas veces al día que es fácil no escucharla, quedándome ensimismada en mis pensamientos y preocupaciones. Es tan pequeña, y está ansiosa por expresar sus pensamientos ahora. ¿Todavía seguirá confiando en mí cuando sea mayor? ¿Confiará para que la escuche entonces?

¿Cuántas veces al día llama alguien el nombre de Dios? A diferencia de mí, Él siempre ansía escuchar nuestros clamores y es paciente para escuchar nuestras peticiones. Recuerdo cómo me sentí la primera vez que mi hija dijo: «Mamá»... muy emocionada, muy orgullosa, muy contenta. No siempre puedo darle a mi hija mi total atención, pero puedo responderle y animarla a que hable conmigo. Escucharé a mi hija.

Hoy

Escucharé a mi hija cuando me llame,

y responderé como la primera

vez que me dijo: «Mamá».

Dios, me doy cuenta de que a medida que mi hija crece y es más independiente, acudirá menos a mí. Permite que siempre sepa que puede hablar conmigo de cualquier cosa y que la escucharé.

En mi angustia invoqué al SEÑOR;
llamé a mi Dios, y él me escuchó desde su templo;
¡mi clamor llegó a sus oídos!

2 SAMUEL 22:7

«Aprecio la individualidad de mi hijo».

Mi hijo, al igual que un copo de nieve formado a la perfección, es único. A veces quizá se parezca a mí o incluso se comporte como yo, pero es particular, especial y sin igual. Es solo como lo hizo Dios.

Trato muy a menudo hacerlo como quiero que sea. Nado contra la corriente de su vida, tratando de calmar sus olas y de darle forma para que todo el mundo le respete y acepte. Sin embargo, mientras prueba los límites de sí mismo y del mundo, lo mejor que puedo hacer para ayudar a mi hijo es reconocer sus habilidades y talentos, basarme en sus éxitos y guiarlo con una mano firme pero suave. Tal vez no sea nunca lo que quiero que sea, pero siempre será lo que Dios quiso que fuera.

Hoy

Miraré a mi hijo de una forma nueva por completo. Lo aceptaré por lo que es él.

Dios, gracias por crear a cada niño como un individuo. Abre mis ojos para que vea a mi hijo como lo ves tú y apreciarlo tal como es él. Por favor, dame el valor y la paciencia para ayudarlo a llegar a ser el adulto que quieres que sea.

Mis huesos no te fueron desconocidos cuando
en lo más recóndito era yo formado, cuando
en lo más profundo de la tierra era yo entretejido.
Tus ojos vieron mi cuerpo en gestación.

SALMO 139:15-16

41

18

«Lloro».

Mi rostro estaba lleno de lágrimas cuando tuve a mi hijo por primera vez en brazos. Sé que cuando sea adulto, mi hijo irá al mundo y que las lágrimas mojarán de nuevo mi rostro. Lloraré porque todavía puedo aspirar el olor del cabello mojado de un niñito que juega con todo lo que tiene; sintiendo las manos pequeñas y pegajosas de un niño que comienza a caminar; y escuchando los dulces gorjeos de un bebé que se maravilla al escuchar el sonido de su propia voz.

Dios entiende mis lágrimas. Sabe que voy a llorar cuando en mis ventanas no haya huellas de mantequilla de maní, cuando en el piso de mi cocina no se escuchen los chirriantes tenis, y cuando en mi lavadero ya no se amontone la ropa. Lloraré porque mi corazón está lleno de amor y recuerdos de ser una mamá.

Y solo Dios puede enjugar lágrimas de las mamás.

Hoy

Tal vez llore debido a las frustraciones
y el agotamiento de ser mamá. En el futuro
lloraré porque extrañaré esas cosas.

Querido Señor, tú me has bendecido como madre.
Calma mi corazón cuando esté cansada o agotada. Por
favor, dime que es bueno llorar.

*El SEÑOR omnipotente enjugará
las lágrimas de todo rostro.*

ISAÍAS 25:8

19

«Me río».

Tomo mi tarea de madre con seriedad. Quiero que las cosas salgan como las imagino, de la forma en que las madres actúan y se ven en las páginas de revistas y en las películas. A veces cuando miro una película, parece que esas familias se divierten más, ríen más, tienen más vida que mi familia. No es verdad. Lo que sucede es que sus vidas de película se adaptan a la música. La instrumentación realza su experiencia, y debido a que estoy fuera mirando hacia dentro, solo parece mejor. Si pusiera mi vida en la gran pantalla, incluida con el tema musical, vería que también es muy animada, divertida y llena de risa.

Dios está dirigiendo la película de mi vida. Todo lo que tengo que hacer es vivirla con amor, dignidad y risa. Hay pequeñas cosas por las que podemos sonreír aun en medio de las mayores dificultades. Todo depende de cómo miro la película.

Hoy

Me reiré. Me reiré de las cosas graciosas
que dice mi hijo, en las conversaciones
con mis amigas y de los errores tontos
que cometo. No tomaré la vida
demasiado en serio.

Dios, crea en mi mente un cuadro diferente... a la película de mi vida, ponle música y llénala de risa.

Fuerza y honor son su vestidura;
y se ríe de lo por venir.

PROVERBIOS 31:25, RV-60

20

«No me siento culpable».

En realidad, me siento muy culpable. ¿Por qué no tomé en mis bazos a mi hija y la consolé cuando estaba disgustada en lugar de gritarle? Cuando mi hija vino a mí con un problema, ¿por qué la juzgué en lugar de tratar de escucharla y ayudarla?

Dios sabe que trato de tomar las decisiones adecuadas, pero muy a menudo no logro mi meta. Cada noche le pregunto a Dios: «¿Fui una buena madre hoy?». Él me responde: «¿Qué es lo que crees?». Y no siempre estoy segura.

Gasto demasiada energía sintiéndome culpable por lo que hice mal en lugar de concentrarme en lo que hice bien y puedo hacer bien. No debe ser así. Una vez que Dios borra un fracaso, desaparece para toda la vida. No siempre soy la mejor mamá posible, pero Él sabe que siempre trato de serlo.

Hoy

Nombraré tres cosas que hice bien
como mamá. Me olvidaré de las cosas
que pude haber hecho mejor.

Padre celestial, ayúdame a enfocarme en las muchas
cosas maravillosas que hago como madre. A medida que
te confieso mis fracasos y debilidades, que desaparezcan
y se olviden.

*Tan lejos de nosotros echó nuestras transgresiones
como lejos del oriente está el occidente.*

SALMO 103:12

21

«Todos los días paso tiempo al aire libre con mi hijo».

Algunas veces los únicos momentos que mi hijo y yo pasamos fuera de la casa es cuando corremos de la casa al automóvil. A medida que se detiene para llenarse los bolsillos de bellotas e inspeccionar los méritos de cada piedra en nuestro garaje, le digo: «Apúrate. Por favor, deja eso», porque salimos para ir a aprender y avanzar en otro lugar, en el interior de un edificio, en una sala de clase con otros niños. Me olvido de todo lo que hay para que mi hijo aprenda al aire libre, en nuestro patio. Él necesita tiempo para correr y rodar, explorar y examinar. Quizá sea más fácil quedarse dentro y no ensuciarse, pero Dios creó un mundo hermoso para que lo disfrutemos, y yo quiero gozarlo con mi hijo.

Hoy

Aunque llueve o nieve, mi hijo y yo
pasaremos algún tiempo fuera. Pisaremos
charcos o atraparemos copos de nieve
con la lengua, o disfrutaremos del cálido sol.
Respiraremos la belleza que nos rodea.

Querido Dios, los árboles, el cielo y el paisaje son regalos
para disfrutar. Ayúdame a hacer una prioridad estar afuera
con mis hijos todos los días.

El SEÑOR puso su mano sobre mí,
y me dijo: «Levántate y dirígete al campo,
que allí voy a hablarte».

EZEQUIEL 3:22

22

«Mi comportamiento es la mayor influencia en el comportamiento de mi hijo».

Me doy cuenta de que mi hijo está observando todo lo que hago y digo. Le he visto imitarme cuando finge hablar por teléfono o se preocupa por el bebé. Aun antes de hablar, mi hijo puede mover el dedo o se pone las manos en la cadera como lo hago yo.

Tengo muchas cosas que decirle a mi hijo sobre el mundo. Le digo que no cruce la calle a menos que la luz sea roja; entonces cruzo con la verde si no se acercan los autos. Le digo que no mienta, cuando le dice a la persona en el teléfono que pregunta por mí: «Ella no está aquí».

No dará resultado lo de: «Haz lo que digo y no lo que hago». Si quiero que mi hijo actúe de cierta manera, yo también debo actuar así.

Hoy

Recordaré que mi hijo me está observando.
Diré «por favor» y «gracias», y trataré
a los amigos, familiares y extraños
con amabilidad y respeto.

Querido Padre celestial, mi hijo me mira por dirección. Ayúdame a decir las cosas adecuadas, pero lo que
es más importante, ayúdame a ser como Cristo.

Sigan mi ejemplo,
así como yo sigo el de Cristo.

1 CORINTIOS 11:1, LBD

23

«Le enseño a mi hijo a disfrutar su trabajo y a hacerlo lo mejor posible».

Me imagino contándoles a mis amigos y familiares los éxitos de mi hijo cuando sea grande: Es una estrella deportiva y tiene una marca mundial. Es un hombre de negocios y gana mucho dinero. Es médico y salva vidas.

Tal vez mi hijo se dedique a alguna de esas profesiones. Sin embargo, es más importante que sea feliz en su trabajo. Siento que ejerzo presión para lo que quiero que sea, pero eso no es necesariamente lo que Dios ve para él ni es siquiera lo que quiere mi hijo. Permitiré que mi hijo experimente muchas clases de trabajo digno. Le daré elecciones a fin de que practique sus talentos y habilidades. Quiero que sea feliz en su trabajo, pues eso es un don de Dios.

Hoy

Guiaré a mi hijo cuando muestre interés
en algo en particular, cualquiera que sea.
Si le gustan las piedras, coleccionaremos
piedras, grandes y pequeñas. Visitaremos
una mina y leeremos libros en la biblioteca
sobre las piedras. Ayudaré a mi hijo
a encontrar gozo en sus tareas.

Querido Señor, quiero aceptar y apoyar los intereses
y trabajo de mi hijo. Ayúdame a abandonar mis planes y
a darle la libertad y el aliento para que siga su propio
sendero.

*Gustar de nuestro trabajo y aceptar la suerte que la
vida nos depara, es en verdad un don de Dios.*

ECLESIASTÉS 5:19, LBD

24

«Soy consecuente».

Como yo dependo de Dios, así mi hija depende de mí. No busco una vela y fósforos por temor de que el sol no brille mañana. Sé que la luz matinal vendrá como lo hace siempre, y en esa igualdad me siento segura. Mi hija busca en mí que sea consecuente, saber que después del almuerzo viene una siesta. Después de que se lastima, viene un beso. Después de jugar, un baño. La simple rutina, saber qué esperar, hace que mi hija se sienta segura. Cuando me mira buscando una sonrisa después que hace una cosa bien o cuando vacila después que toca algo que no debía tocar, esperando la corrección, mi hija depende de que yo sea consecuente para hacer que su mundo se sienta estable.

Hoy

Seguiré una rutina simple.

Seré todo sonrisas y amor por mi hija,

y también diré no cuando sea necesario.

Querido Señor, gracias por ser consecuente, pues tu amor perdura para siempre. Dame la coherencia que necesito para ayudar a mi hijo a sentirse a salvo y seguro.

*Den gracias al SEÑOR, porque él es bueno;
su gran amor perdura para siempre.*

SALMO 136:1

25

«Me esfuerzo por entender y apreciar la perspectiva de mi hija».

¿Cómo debe parecer que nunca es capaz de alcanzar las cosas que quieres? ¿No tener ninguna otra elección sino comer lo que te dan? Como madre, hago un sinnúmero de decisiones cada día. Mi hijo tiene pocas decisiones.

Debe esperar sin opciones cuando le digo: «Espera un momento», y procedo a charlar con una amiga por quince minutos. Mi hijo llora cuando lo llevo de compras a la hora del almuerzo. Está cansado y tiene hambre, y no puede hacer nada para aliviar esos sentimientos.

Algunas veces parece atractivo tener las preocupaciones de un niño. Aun así, ¿entiendo cómo es eso en realidad?

Hoy

Cuando mi hijo está molesto,

trataré de entender cómo

se siente en realidad y por qué.

Dios, ayúdame a ver el mundo a través de los ojos de
mi hijo, a entender y apreciar su perspectiva.

*Porque mis pensamientos no son los de ustedes,
ni sus caminos son los míos —afirma el SEÑOR.*

ISAÍAS 55:8

26

«Exijo respeto mutuo entre mi hija y yo».

Enseñarle a mi hija a ser respetuosa es un trabajo difícil. Exigir el respeto mutuo es incluso más difícil.

El respeto no es sentir miedo, ni poder expresarse, ni obedecer sin hacer preguntas. Es estar dispuestos a escuchar y a valorar las opiniones de una persona aun si no estás de acuerdo. Sí, soy una persona adulta, y tomo las decisiones finales en cuanto a la vida de mi hija. Aun así, escucharé sus ideas, la alentaré para que me muestre su perspectiva, y poco a poco le permitiré tomar algunas de sus decisiones. A través de todo esto, le enseñaré, y le daré, a mi hija el respeto.

Hoy

Respetaré a mi hija escuchando
sus pensamientos e ideas.

Querido Señor, como madre tengo la responsabilidad de las decisiones concernientes a mi hija. Sin embargo, abre mis ojos y mi corazón para valorar sus ideas. La respetaré, y a su vez ella me respetará a mí, no solo porque se lo exija, sino porque lo sienta.

Den a todos el debido respeto.

1 PEDRO 2:17

27

«No me preocupo por lo que otros piensan de mí».

A menudo les echo una mirada a las mujeres a mi alrededor y trato de imaginarse cómo son sus vidas. De algún modo creo que tienen hijos obedientes vestidos de ropas blancas planchadas; brillantes cocinas con postres caseros; y perfectas vidas felices. Y me pregunto: ¿por qué no puedo ser así? Me preocupo de lo que piensan de mí. ¿Le gustaré a la gente? ¿Pensarán que mis hijos son bien parecidos y se portan bien? ¿Pensarán que soy una buena madre?

En el fondo, no importa lo que otros piensan de mí. Al único que le debo rendir cuentas es a Dios. Sé que cometeré errores, pero seguiré esforzándome. Dios sabe que doy lo mejor de mí. Y eso es lo que cuenta.

Hoy

No me compararé con otros
ni me preguntaré qué piensan de mí.

Señor, gracias por amarme de manera incondicional,
como yo amo a mi hijo. Ayúdame a no preocuparme
por lo que otros piensan de mí.

Imiten a Dios, como hijos muy amados,
y lleven una vida de amor.

EFESIOS 5:1-2

28

«Estoy contenta con mis esfuerzos».

Es muy fácil sacar a relucir las hebras de la vida y ver solo las partes enganchadas y gastadas, y nunca apreciar la belleza del tapiz. Trabajo fuerte por mi hijo y mi familia. Sin embargo, a menudo critico mis esfuerzos, pensando que debería hacer más, dar un poco más. Nunca tiro de la colcha de mi trabajo que me rodea y siento el calor de todo lo que he dado. Aun así, mi hijo sabe. Se acurruca en mis abrazos, responde a mi caricia, reciproca mi amor. Mi hijo, en su forma dulce, me bendice.

Hoy

Escribiré tres cosas buenas que hice como madre, cosas como traer la ropa tibia de la secadora, curar una herida que en realidad solo necesita un beso o dar muchos abrazos sin motivo alguno. Apreciaré mis esfuerzos.

Ah, Dios, ¿por qué nunca estoy satisfecha? Ayúdame a sentirme bien por el trabajo realizado y a darme cuenta de que mis esfuerzos bendicen a mi hijo.

Sus hijos se levantan y la bendicen.

PROVERBIOS 31:28, LBD

29

«Almuerzo con mi hija».

Corre, corre, corre. Parece que nunca tengo tiempo para sentarme a comer, así que de pie, como un poquito aquí y bebo algo allá. Me trago las indeseadas cortezas de los sándwiches de mantequilla de maní y jalea, y galletitas un poco pegajosas a las que limpiaron de todos los trocitos de chocolate. Miro comer a mi hija mientras corro de un lado a otro por la cocina o hablo por teléfono.

La hora de comer no debería ser solo un tiempo para nutrir el cuerpo, sino también un tiempo para sentarme y comunicarme con mi hija. Hago tiempo para comidas sociales y para comidas relacionadas al trabajo, pero debo tomar tiempo para las comidas familiares. Ya sea que les sirva pasta o cereal frío, cada vez que coma con mi hija pensaré que es una fiesta familiar, una celebración.

Hoy

Me sentaré

y comeré con mi hija.

Querido Señor, gracias por la comida que nos has dado
y por la hora de comer que disfrutamos en familia.

*Sus hijos acostumbraban turnarse para celebrar
banquetes en sus respectivas casas, e invitaban
a sus tres hermanas a comer y beber con ellos.*

JOB 1:4

30

«Establezco tradiciones familiares con mi hijo».

El hogar es un sentimiento. Es el sonido de las personas que viven, trabajan, ríen y a veces lloran allí. El hogar es los recuerdos que guardas en tu corazón. Quiero que mi hijo guarde recuerdos preciosos, que tenga tradiciones que pueda disfrutar con sus hijos y con los hijos de sus hijos.

Las tradiciones pueden ser festivas, como iluminar los árboles de Navidad y los días de fiesta, o solo como marcar lo que crece tu hijo en el marco de una puerta. Juntos haremos recuerdos especiales de su niñez y de la familia. Y cuando mi hijo se los cuente a sus propios hijos, dondequiera que quizá le lleve la vida, se sentirá como en casa.

Hoy

Comenzaré una tradición con mi hijo.
Contaremos los escalones que llevan
a la puerta del frente o sacaremos una
fotografía cada año en el mismo día,
en el mismo lugar, o daremos una caminata
después de cada comida de un día de fiesta.

Padre celestial, ayúdame a apreciar la belleza de las tradiciones sencillas que celebramos en nuestra vida. Que nunca olvide que los recuerdos que se atesoran en la niñez no son los de regalos caros ni las fiestas elaboradas, sino los hechos simples repetidos con amor y pasados a través de generaciones.

Cuéntenselo a sus hijos, y que ellos se lo cuenten a los suyos, y estos a la siguiente generación.

JOEL 1:3

31

«Sueño con mi hija».

Recuerdo que en mi niñez me acostaba de espaldas para mirar el cielo, nombrando las formas de las nubes que pasaban flotando, pensando en la vida, soñando despierta. Los pensamientos sencillos y las conversaciones pueden encender la imaginación, plantar una semilla de curiosidad o dar a luz un sueño. Todos los trabajos bien hechos, todos los grandes logros, comienzan con un pensamiento, con un sueño.

Dios nos ha dado muchas oportunidades. Nos ha dado la libertad para tomar decisiones, para seguir un sendero hecho de manera especial para cada uno de nosotros. Quiero que mi hija sueñe, que imagine todas las posibilidades que Dios tiene para ella.

Hoy

Me sentaré al lado de mi hija y miraré cómo

corre el agua sobre las rocas en un arroyo

o las nubes que parecen flotar en el cielo

o la gente que pasa apresurada por la avenida.

Mi hija y yo hablaremos y soñaremos despiertas.

Dios, por favor, aminora el ritmo en que vivo. Dame tiempo con mi hija para observar cómo se despliega el mundo ante nuestros ojos, para soñar sobre nuestro lugar en tu creación y para descubrir los buenos planes que tienes para nosotras.

> *«Porque yo sé muy bien los planes que tengo*
> *para ustedes —afirma el SEÑOR—,*
> *planes de bienestar y no de calamidad,*
> *a fin de darles un futuro y una esperanza».*

JEREMÍAS 29:11

32

«Le leo a mi hija».

Nada es más grato que una madre leyéndole a su hija. Cuando le leo a mi hija, ella puede sentir el calor de mi cuerpo al estar sentada sobre mi regazo; escuchar la dulzura de mi voz; experimentar el bienestar del tiempo compartido. Y mi hija aprende. Aprende sobre literatura, ciencia, arte y diversión.

Aun cuando mi hija pueda leer por su cuenta, seguiré leyéndole. Le leeré *La isla del tesoro*, *Las aventuras de Huckleberry Finn* y la Biblia. Y cuando sea anciana, y mis ojos estén cansados, mi hija me leerá a mí. Sentiré el calor de su cuerpo cuando esté sentada a mi lado; saborearé la dulzura de su voz; y atesoraré el solaz de los momentos que hemos compartido.

Hoy

Voy a leerle a mi hija, ya sea si es un bebé,
una niñita que comienza a caminar o una
adolescente. La acercaré a mí y pasaremos
tiempo leyendo juntas.

Querido Señor, recuérdame leerle a mi hija todos
los días. Ayúdame a inculcarle el amor por la literatura,
por aprender y por tu Palabra.

—*¿Acaso entiende usted lo que está leyendo?*
—*¿Y cómo voy a entenderlo —contestó—*
si nadie me lo explica?

HECHOS 8:30-31

33

«Acepto a mi hija tal como es».

Cuando Dios deposita el regalo de un hijo en los brazos de una madre, ella ve un bebé perfecto. Mi hija no tiene que tener diez dedos en las manos y diez dedos en los pies para que sea maravillosa para mí. Otros tal vez juzguen a mi hija con más dureza. Quizá noten que es muy pequeña para su edad, o que está sentada en una silla de ruedas, o que no habla aunque tiene ocho años.

Algunas veces me pregunto por qué mi hija no es como los demás niños. ¿Hice algo malo? ¿Me está castigando Dios? No. Dios me *eligió* a mí. Estaba buscando una madre muy especial, una madre que viera la perfección en esta hija, porque Él sabía que el mundo no la vería.

Hoy

Aceptaré a mi hija por quién es ella. Estaré orgullosa y no me sentiré avergonzada. Veré la perfección que Dios ha colocado en mi hija que el resto del mundo no puede ver.

Querido Padre celestial, algunas veces me pregunto por qué tú me has dado este hijo. Confírmamelo otra vez. Por favor, dame fuerzas cuando estoy extenuada, y perseverancia cuando me siento desalentada.

Acéptense mutuamente, así como Cristo los aceptó a ustedes para gloria de Dios.

ROMANOS 15:7

34

«Le pido perdón a mi hija».

Amo a mi hija, pero a veces soy egoísta, me siento frustrada o extenuada. Sueño sobre los días antes de que naciera mi hija, cuando tenía tiempo para leer, dormir y ducharme. Me canso de lavar vajilla, lavar la ropa, jugar juegos tontos y de tener a mi hija siempre a mi lado. Digo cosas poco amables. Soy impaciente. Grito con enojo: «¿Qué te pasa? ¿En qué estabas pensado?». Me olvido de que mi hija todavía está creciendo y aprendiendo.

Le pediré perdón a mi hija. Le mostraré que hasta las mamás toman malas decisiones y dicen cosas que no deben decir. Le enseñaré a perdonar porque yo perdonaré sus faltas... y confesaré las mías.

Hoy

Cuando levante la voz sin necesidad,

le diré a mi hija que lo siento.

Le pediré que me perdone.

Dios, ayúdame a ser un buen ejemplo para mi hija.
Quítame el orgullo para poder pedirles perdón a los que
me rodean, en especial a mi hija.

*Sopórtense unos a otros, y perdónense si alguno
tiene una queja contra otro. Así como el Señor
los perdonó, perdonen también ustedes.*

COLOSENSES 3:13, DHH

35

«Permito que tome decisiones cuando es apropiado».

Mientras mi hijo sea pequeño, debo tomar todas las decisiones por él. Sin mi intervención, comería galletitas todo el día, nunca dormiría una siesta y se bañaría solo en charcos. Así que guío a mi hijo. Le planeo el curso de su día.

Cuando sea mayor, todavía desearé guiarlo, evitarle errores y consecuencias. Sin embargo, poco a poco debo dejarle que tome sus propias decisiones. Le hablaré sobre sus elecciones, pero también lo dejaré cometer algunos errores a fin de que mejore sus habilidades en la toma de decisiones la próxima vez.

Mi hijo dará algunas vueltas equivocadas y terminará en algunos senderos difíciles. Aun así, yo le daré los recursos que necesita para trazar su propio curso y le enseñaré que busque a Dios para que guíe sus pasos.

Hoy

Le ofreceré elecciones a mi hijo. Lo dejaré
decidir cuándo hacer sus tareas escolares.
Si no termina su trabajo, dejaré
que experimente las consecuencias.

Querido Señor, es muy difícil dejar que mi hijo tome
sus propias decisiones. Quiero ser su protectora, su guía.
Ayúdame a soltarlo y a darme cuenta de que tú eres su
Protector y que tú lo guiarás a través de la vida.

El corazón del hombre traza su rumbo,
pero sus pasos los dirige el SEÑOR.

PROVERBIOS 16:9

36

«Espero de mi hija la excelencia, no la perfección».

Es difícil dejar que mi hija se vista sola o que haga su cama. Su ropa no siempre combina, y las sábanas cuelgan por debajo de la colcha. ¿Por qué no puedo dejar que el trabajo de mi hija sea diferente a la forma en que yo lo haría?

Sus manos son pequeñas, pero su determinación es grande. No quiero criticar ni volver a hacer el trabajo que realizó mi hija. No quiero que deje de tratar de hacer algo. Mi hija tiene su propia forma de hacer las cosas, y me quiero concentrar en eso en lugar de aferrarme a mi método. Espero de mi hija la excelencia, no la perfección. Porque mi método tampoco es perfecto. La única forma perfecta es la de Dios, y no estoy segura de que a Él le importe la sábana.

Hoy

No pondré obstáculos en la determinación
de mi hija. Reconoceré que hay
más de una forma de hacer las cosas.

Señor, tú me has dado una niña con maravillosas habilidades y talentos. No permitas que ponga obstáculos en
su camino cuando hace su mejor esfuerzo.

Padres, no exasperen a sus hijos,
no sea que se desanimen.

COLOSENSES 3:21

37

«Aplaudo los mejores esfuerzos de mi hijo y sus éxitos».

Cuando mi hijo era bebé, me miraba buscando una sonrisa cada vez que se levantaba o aplaudía con sus manos. Le respondía con sonrisas y palmeaba también. Cada movimiento era un triunfo.

Ahora que es mayor, ¿me he olvidado de cómo alentar sus esfuerzos, de celebrar sus éxitos? Cuando controla su enojo, ayuda a un amigo y juega fútbol, aun cuando sabe que no es el mejor del equipo, son actos dignos de mi atención.

Mi hijo no debería necesitar validación por todo lo que hace, y en el momento oportuno saber que ha trabajado de corazón será suficiente recompensa para él. Sin embargo, seguiré animándolo porque eso es lo que hacen las madres buenas.

Hoy

Prestaré atención a las pequeñas
cosas que hace bien mi hijo y las reconoceré,
ya sea que limpie algo sin que se lo pidan,
que comparta con un amigo o que trate
de controlar sus emociones.

Señor, mi hijo todavía busca mi aprobación. Ayúdame a notar sus esfuerzos cada día y a celebrarlos.

*Hagan lo que hagan, trabajen
de buena gana, como para el Señor
y no como para nadie en este mundo.*

COLOSENSES 3:23

38

«Soy una persona organizada».

Trato de ser organizada. No es mi intención olvidar los bizcochitos de su aula, ni vestir a mi hija de violeta el día en que van de anaranjado. Algunas veces parece más fácil vivir en cierta forma de caos, abordando proyectos según se presentan, pasando por alto las faltas y usando la excusa de que soy madre. Sin embargo, no hay nada caótico en el mundo de Dios. Y nadie, en especial mi hija, se beneficia de mi desorganización. Eso no quiere decir que deba tener una casa inmaculada, armarios con letreros que digan dónde van las cosas, ni un almanaque con cada actividad marcada. En realidad, ser organizada es ser responsable, priorizar el trabajo que debo hacer y usar el tiempo como un don. No hay una forma adecuada de organizarse, pero la falta de esta me impedirá cuidar lo mejor posible de mi hija, de mi hogar y de mí misma.

Hoy

Terminaré un proyecto que he estado
evitando. Limpiaré un cajón,
quitaré los papeles de la encimera
de la cocina y guardaré la ropa
que tengo sobre la cama.

Señor, admito que podría ser más organizada. Ayúdame a
conocer la paz del orden en mi vida y a honrarte al res-
petar mis compromisos.

*Dios no es un Dios
de desorden sino de paz.*

1 CORINTIOS 14:33

39

«Todos los días
oro por mi hija».

Paso todo el día cuidando a mi hija asegurándome que no tenga hambre, que sus ropas sean adecuadas y estén limpias, que sus días sean agradables y su vida buena. Ese es un trabajo arduo, pero no soy la única que la cuida. Dios nos cuida a las dos.

Por lo general, veo que pido su ayuda solo cuando estoy desesperada o exhausta por todas mis rutinas maternales. Olvido que puedo pedirle a Dios que me ayude con las cosas pequeñas: calmar a mi hija cuando está disgustada, ayudarla a sentirse segura en mi ausencia, llenar su mundo con cosas buenas. Dios me ayudará a darle a mi hija lo que necesita. Todo lo que tengo que hacer es pedir.

Hoy

Oraré por mi hija cuando comienza el día

y en la noche cuando se va a dormir.

Y pronto aprenderé a orar

antes de todo lo demás.

Querido Padre celestial, recuérdame apoyarme en ti.
Ayúdame a recordar que no crío sola a mi hija. Te tengo a ti.

A ti clamo, oh Dios, porque tú me respondes;
inclina a mí tu oído, y escucha mi oración.

SALMO 17:6

40

«Tengo confianza».

¿Paso suficiente tiempo con mi hijo? ¿Lo disciplino lo suficiente? ¿Participo en su trabajo escolar? ¿Encontrará su camino en el mundo sin tenerme a su lado?

¿Por qué me preocupo tanto por mi hijo y por las decisiones que tomo en cuanto a él? La respuesta simple es: porque lo amo.

La vida ofrece tantas decisiones que puedo sentirme abrumada. Aun así, debo tener confianza, sabiendo que doy lo mejor de mí y que Dios está conmigo. La confianza no significa que lo sepa todo y que nunca dude. La confianza es tomar una decisión, valorando cómo progresan las cosas en el camino y haciendo cambios a medida que se necesiten. Dios confía en mí, entonces yo debo tener confianza en mí misma.

Hoy

Consideraré todas las posibilidades

en cuanto al cuidado de mi hijo,

y luego tomaré una decisión

con confianza. No dudaré de mis acciones.

Querido Señor, dame la confianza para cuidar a mi hijo lo mejor que puedo. Quita mis dudas y lléname de tu seguridad.

No pierdan la confianza,
porque esta será grandemente recompensada.

HEBREOS 10:35

41

«Jugaré con mi hija».

«Tú estás siempre muy ocupada para jugar», me dice mi hija. ¿Es más importante lo que estoy haciendo que jugar con ella, que estar con mi hija? ¿Lavar la ropa y la vajilla, los papeleos? Es verdad que tengo que hacer todas esas cosas. Aun así, no quiero perder el encanto de la vida porque esté demasiado ocupada con los muchos quehaceres de la vida. Uno nunca es demasiado viejo como para jugar, para disfrutar los juegos, para reír y divertirse. La mayoría de nosotros ha olvidado cómo se hace eso. Mientras mi hija sea pequeña, correremos por la playa, jugaremos al cucú y al escondite. Cuando sea mayor, miraremos una película, iremos a patinar y de compras. Muy pronto llamaré a mi hija y estará demasiado ocupada para mí. Estará jugando con sus propios hijos.

Hoy

Haré un alto y tomaré tiempo para jugar.

Dejaré el fregadero lleno de platos e iré a

hacer algo divertido con mi hija.

Dios, ayúdame a disfrutar los momentos que me has dado en este día al dedicar tiempo para jugar con mi hija.

*Los niños y las niñas volverán
a jugar en las calles de la ciudad.*

ZACARÍAS 8:5

42

«Miro a mi hijo cuando duerme».

No hay nada tan plácido como un niño que duerme. El mundo debería moverse al ritmo de la respiración de un niño que duerme.

Algunas veces, al final de un día muy ocupado, cuando mi hijo al fin está acostado y he arreglado la casa, guardando las cosas que diseminamos por nuestra apresurada actividad, miro a mi hijo cuando duerme... y me pregunto... ¿Cómo es posible que le levantara la voz a esta criatura inocente, que fuera impaciente con su curiosidad, que ahogara su exuberancia? Cuando estoy en la presencia de mi hijo que duerme, puedo sentir que hay ángeles a su alrededor... puedo sentir la presencia de Dios en la quietud del cuarto.

Hoy

Voy a mirar a mi hijo cuando duerme.

Voy a escuchar su respiración pausada,

y sonreiré por la forma en que su suave

cabello ha caído alrededor de su rostro.

Querido Dios, cuando estoy irritada y frustrada con mi hijo, tráeme la calma de su sueño. Pon en mi mente una imagen de su rostro cuando duerme.

En paz me acuesto y me duermo, porque solo tú,
SEÑOR, me haces vivir confiado.

SALMO 4:8

43

«Aliento la creatividad de mi hija».

La plastilina se pega a la alfombra. Hay más pintura en las paredes y sobre mi hijo que en el papel. ¡Qué desastre! Algunos días preferiría que mi hijo mirara un vídeo o que jugara con sus bloques o leyera.

Sin embargo, entonces recuerdo la emoción de llenar de color una hoja grande de papel. Me imagino que Dios debe haberse sentido así cuando creó los cielos y la tierra, derramando color donde no había nada.

Mi hijo tiene mucha creatividad. No lo han desalentado con inhibiciones de: «No puedo dibujar». Mi hijo está lleno de «Sí puedo». Alentaré su creatividad permitiéndole ensuciarse y divertirse... crear en la imagen de su Creador.

Hoy

Buscaré un lugar en el que mi hijo
pueda ensuciarse, divertirse y ser creativo.
Iremos al garaje con pinturas o colocaremos
una tela sobre la mesa de la cocina
y crearemos algo maravilloso.

Querido Padre celestial, quiero alentar la creatividad de mi hijo y su actitud inhibida de que puede hacer cualquier cosa. Ayúdame a olvidar el desorden y a concentrarme en su creación.

Medito en todas tus proezas,
considero las obras de tus manos.

SALMO 143:5

44

«Hago de mi hogar
un lugar en el que les
guste estar a mi hijo
y sus amigos».

Cuando la gente viene a visitarnos, algunas veces me siento molesta o no preparada. Trastorna mi horario y mis planes. «Visitar sin anunciarse» parece ser algo del pasado... y una imposición. No debería ser así.

Recibiré con agrado a mis vecinos y a mis amigos en mi hogar. Mi puerta siempre estará abierta, en especial para los amigos de mi hijo. No importará si mi casa está limpia o si tengo comida que brindarles. Les ofreceré la comodidad y la seguridad de mi hogar. Daré mi tiempo y mi amistad. Quiero que los amigos de mi hijo, cualquiera que sea la situación de la que vienen, sepan lo que es sentirse como en casa. Y quiero que mi hijo conozca el gozo de compartir su hogar con otros.

Hoy

Invitaré a otro niño a que venga

a jugar con mi hijo.

Padre celestial, tú me has pedido que brinde hospitalidad a otros. Por favor, ayúdame a ser una persona que recibe con agrado, alguien que consuela con la conversación y que es generosa con la comida y las bebidas. Tú mes has dado con mucha generosidad.

Practiquen la hospitalidad
entre ustedes sin quejarse.

1 PEDRO 4:9

45

«Ayudo a mi hija a cultivar la confianza».

Con una actitud de «lo puedo hacer» y la ayuda de Dios, las posibilidades para mi hija son infinitas. Quiero que acepte las bendiciones de la vida sin titubeos. Quiero que enfrente las dificultades de la vida con determinación.

La confianza no es ni orgullo ni arrogancia. Es la fortaleza de mente de saber que sin importar lo que ofrezca la vida, se puede sacar su mejor partido, saber que no hay mal que por bien no venga. Es no preocuparse de lo que piensen otros y no estar ansiosa por cosas que quizá nunca sucedan.

Cuando aliento a mi hija, la ayudo a tener confianza. La enseñaré a buscar siempre el lado bueno de la vida, de sí misma y de otros.

Hoy

Alentaré a mi hija cuando diga: «No puedo».

La ayudaré a separar las tareas en pasos

pequeños, y juntas conquistaremos cada una.

Señor, cuando mi hija titubea, cuando piensa que no
es capaz de hacer algo, cuando le falta confianza, extiende
tu gracia y guía sus pasos para que no se rinda.

Anímense y edifíquense
unos a otros.

1 TESALONICENSES 5:11

46

«Establezco límites para mi hijo».

A medida que mi hijo crece, se expanden sus límites. Mi bebé estaba solo a un brazo de distancia de mí. Cuando mi hijo comenzó a caminar, siempre estaba donde lo pudiera ver. Cuando era preescolar, jugaba en el cuarto contiguo. Aun así, siempre estaba probando hasta dónde podía llegar y lo que podía hacer. Así que le enseñé, poniéndolo dentro del círculo de mi protección cuando se escapaba o hacia algo indebido.

Quiero que mi hijo explore el mundo de Dios y que llegue a ser más independiente, pero también quiero que esté seguro y preparado. Así que le pongo límites. Y a medida que mi hijo crezca y se enfrente a los males del mundo, sentirá el círculo invisible que le he puesto a su alrededor. Se situará de nuevo dentro de ese círculo de seguridad.

Hoy

Seré firme cuando mi hijo pruebe los límites cuando le digo: «Solo una galletita», y él quiere otra. No voy a ceder cuando mi hijo me ruegue que le compre algo en la tienda. Diré no cuando mi hijo me pida que lo deje ir a una fiesta en la que no habrá supervisión de adultos.

Querido Señor, al igual que tú me has colocado límites, permite que yo ponga un círculo alrededor de mi hijo para que también pueda estar bajo tu protección.

Haz lo que es recto y bueno
a los ojos del SEÑOR.

DEUTERONOMIO 6:18

47

«Oro con mi hija».

Hablo con Dios durante todo el día, pero mi hija raras veces me ve o me escucha cuado lo hago porque mis oraciones son palabras silenciosas de agradecimiento y petición. Quiero que mi hija tenga su propio tiempo de oración y que cultive su propia relación con Dios. Puesto que mi hija aprende más de mis acciones que de mis palabras, dejaré que me escuche y me vea orar. Oraré con mi hija. Oraremos antes de las comidas y en la noche antes de acostarse. Cuando escuche pasar una ambulancia, cuando alguien esté triste o cuando alguien necesite ayuda, oraré en voz alta para que mi hija me pueda escuchar y aprender.

Hoy

Oraré con mi hija antes de cada comida

y le daré gracias a Dios por sus

muchas bendiciones.

Señor, no permitas que olvide orar con mi hija, que pase tiempo disfrutando el gozo de hablar contigo.

Crean que ya han recibido todo lo que estén
pidiendo en oración, y lo obtendrán.

MARCOS 11:24

48

«Le enseño a mi hijo
a que no tenga miedo».

Da miedo cuando truena fuerte, cuando mamá te deja con una niñera, cuando de noche ves sombras en tu cuarto. Estos son los temores de mi hijo... tan simples, tan fáciles de vencer, creo yo. Sin embargo, mi hijo está tan atemorizado que me llama en la noche. Voy a verlo, lo consuelo y lo tomo en mis brazos, asegurándole que no hay nada que temer, que está seguro. ¿Quién consolará a mi hijo cuando sea mayor y no esté a su lado para responder su llamada? Dios lo hará. Sé que mi hijo tendrá dudas y preocupaciones. Una luz en la mesita de noche no siempre hará huir a los monstruos. Así que le enseñaré a mi hijo a no tener miedo al enseñarle a confiar en Dios.

Hoy

Le enseñaré a mi hijo que los monstruos no
existen, pero todavía revisaré debajo de su
cama y en el armario para tranquilizarlo.

Dios, tú me consuelas cuando tengo miedo. Por favor,
que tu seguridad sea la que pase a través de mis manos
cuando consuele a mi hijo en tiempos de temor y duda.

*Yo soy el SEÑOR, tu Dios, que sostiene
tu mano derecha; yo soy quien te dice:
«No temas, yo te ayudaré».*

ISAÍAS 41:13

49

«Tengo tiempos de quietud cada día».

Es raro que esté tranquila y en silencio. La culpa viene a mí si me siento durante la mitad del día. Siempre me parece que debería estar haciendo algo. ¿Por qué? Supongo que nuestra sociedad ha llegado a valorar la productividad, a las personas que hacen cosas y a la acumulación de cosas. Sin embargo, mi hijo y yo necesitamos tiempo de quietud para pensar, orar y hablar con Dios. No es malo mirar por la ventana ni sentarse en el portal. Tengo la responsabilidad de proteger el tiempo de quietud de mi familia. Debo convertirlo en una prioridad, o el mundo nos lo robará.

Hoy

No contestaré el teléfono cuando estemos
comiendo. Apagaré el televisor y la radio
y estaremos tranquilos.

Dios, sé que tú me has llamado a descansar. Ayúdame a mostrarle a mi hijo la forma de apreciar y proteger los tiempos de tranquila reflexión.

*Jesús les dijo:
—Vengan conmigo ustedes solos
a un lugar tranquilo.*

MARCOS 6:31

50

«Me ofrezco como voluntaria en la escuela de mi hijo».

Me doy cuenta de que no puedo participar en todas las cosas. Aun cuando tengo muchas tareas, este es el tiempo que Dios me ha dado para ser madre, para involucrarme en la vida de mi hijo. Al ayudar en la escuela de mi hijo, le muestro que me interesa su vida. Y él se alegra de que lo haga, aun si dice lo contrario.

Es fácil hornear bizcochitos e ir a excursiones mientras mi hijo es pequeño, ¿pero cómo puedo involucrarme a medida que crece? Me puedo unir a la asociación de padres y maestros, asistir a las reuniones de la junta de su escuela, ir a las visitas libres de los padres y a las noches de actividades especiales. Le puedo hacer preguntas a mi hijo sobre sus clases, sus maestros y sus amigos. Y, por supuesto, ningún niño es demasiado mayor como para que no le gusten los bizcochitos.

Hoy

Llamaré por teléfono a la maestra de mi hijo
y le preguntaré cómo puedo ayudar.

Dios, a veces es más fácil dejar que otras personas sean las que se brinden para hacer algo. Pienso que tienen más talento y tiempo que yo. Muéstrame cómo puedo ser determinante en la educación de mi hijo.

*Cada uno ponga al servicio de los demás el don
que haya recibido, administrando fielmente
la gracia de Dios en sus diversas formas.*

I PEDRO 4:10

51

«Me cuido para poder cuidar a mi hijo».

Mis días están ocupados con dar a otros: cocinar, hacer mandados, ayudar a amigos, estar disponible para mi hija. Sin embargo, no puedo continuar dando de mí misma sin reponer algo. Mi cuidado personal me capacita para cuidar mejor a mi hija. Necesito descansar, hacer ejercicios y comer bien para estar saludable. Necesito tiempo a solas para ser una mejor persona cuando estoy con otros.

Quiero que me aprecien y sentirme bien cuando me reconozcan por todo lo que haga. Aun así, sé que la autoestima viene de dentro, de saber que hago justo lo que Dios quiere que haga. Y para hacer lo que Dios quiere que haga, debo cuidarme.

Hoy

Haré algo para mí: leeré un libro, daré una caminata o almorzaré con una amiga.

Dios, sé que tengo valor porque tú has confiado en mí para ser madre. Por favor, ayúdame a rejuvenecer el cuerpo y a volver a llenar mi corazón a fin de seguir dándoles a mi hijo y a otros.

*En la serenidad y la confianza
está su fuerza.*

ISAÍAS 30:15

52

«Controlo mi enojo».

Mi hija deja caer al piso toda la ropa lavada y doblada con esmero... garabatea en la pared con un rotulador verde permanente... rompe una ventana con una pelota... destroza el auto. Mi primera respuesta es enojo y frustración. Le grito. Le lanzo preguntas sin esperar respuestas. Pierdo el control de mis emociones. Sí, mi hija necesita aprender a ser más cuidadosa, a no hacer esas cosas. Quiero que esté segura. Con todo, de alguna forma debo usar esos errores y faltas para enseñarle. El comportamiento alocado y descontrolado no es la mejor forma de enseñar. Le diré a mi hija que estoy enojada y le explicaré por qué, pero controlaré **mi** enojo. Usaré cada desliz como una oportunidad de enseñarle a mi hija, de decirle lo que es bueno hacer y las consecuencias de sus acciones.

Hoy

Cuando mi hija se comporte de una forma
que me produzca enojo, me detendré antes
de gritar. Lograré controlarme.

¿Por qué, Señor, me enojo con tanta facilidad?
Usa esos momentos en los que le enseño a mi hija para
que también me ayudes a aprender que un temperamento irascible es una necedad y no ayuda a nadie.

El iracundo comete locuras.

PROVERBIOS 14:17

53

«Estoy contenta de ser madre».

En mi vida han habido muchas etapas: niñez, estudiante, recién casada y ahora madre. El tiempo ya no me pertenece. Todas mis decisiones y elecciones giran en torno a mi hijo. No tengo la libertad de hacer lo que quiero cuando lo quiero hacer. A veces anhelo mañanas en las que pueda dormir hasta tarde y paseos espontáneos de fines de semana. Lamento oportunidades profesionales perdidas y prioridades cambiadas.

Sin embargo, no quiero que los deseos se lleven los días de ser madre. Recuerdo que porque el trabajo más importante del mundo no venga con un sueldo no significa que le falten recompensas: besos mojados y ruidosos... huellas de manos pequeñas y pegajosas... amor tremendamente fuerte. Y entonces recuerdo que ser madre es justo lo que quiero ser.

Hoy

Me fijaré en las pequeñas recompensas
de ser madre: la sonrisa de mi hijo,
brazos extendidos en busca de un abrazo
y deliciosos besos torpes.

Querido Dios, cuando me sienta inquieta en mi papel
de madre, ayúdame a estar contenta. Recuérdame que
no existe otro trabajo tan importante como el de ser madre.

*He aprendido a estar satisfecho en cualquier
situación en que me encuentre.*

FILIPENSES 4:11

54

«Venzo los temores que tengo por mi hija».

Le digo a mi hija: «No tengas miedo. Todo está bien. Mamá está contigo». Aun así, tengo mis temores. Ser madre me ha ayudado a sobreponerme a muchos de ellos. Cuando pensaba que no era posible hacer algo más, Dios me daba la fortaleza para lo que parecían interminables horas de trabajo, noches sin dormir, resfriados y toses, y agotamiento emocional. He sobrevivido a todas esas cosas.

He madurado y he aprendido en mi mundo de ser madre. A medida que mi hija crece, se va adentrando cada vez más en el gran mundo, y yo debo acompañarla. Para guiarla, debo controlar mis propios temores. Cuando enfrente con valor las cosas que me atemorizan, mi hija aprenderá que ella también puede vencer sus temores.

Hoy

Daré el primer paso para conquistar
uno de mis temores. Señalaré mi temor
y visualizaré su derrota.

Querido Padre celestial, al igual que mi hija, a veces siento miedo. Por favor, dame la fortaleza para enfrentar mis temores y para perseverar a través de ellos a fin de que no me impidan ser la mejor madre posible.

El Señor es quien me ayuda;
no temeré.

HEBREOS 13:6

55

«Enseño a mi hijo a ser agradecido».

Le enseño a mi hijo a decir «Gracias» desde que es pequeño. Me da las gracias cuando le doy una galletita o un juguete. Me dice «¡Gracias!» cuando le doy un monopatín y por los paseos escolares. Algunas veces me pregunto: ¿le estoy dando demasiado? Mi hijo sabe decir gracias, ¿pero tiene un corazón agradecido?

La verdadera gratitud es reconocer un regalo, no un regalo en una caja grande, sino un regalo que no cabe en una caja. El agradecimiento es apreciar los dones del amor, de un hogar, del perdón, del abrigo, de la provisión.

Es difícil aprender a ser agradecido por algo excepto cuando nos falta ese algo. No quiero que mi hijo pase necesidad, y con la ayuda de Dios, no le faltará ninguno de esos regalos. Aun así, me esforzaré al máximo para ayudarle a ser agradecido.

Hoy

Le pediré a mi hijo que me diga tres cosas
por las cuales está agradecido.

Querido Dios, lucho con la lección del agradecimiento, aun yo misma no me percato siempre de lo bendecida que soy. Enséñame a ayudar a mi hijo a apreciar los dones en su vida.

*Den gracias al Señor, porque él es bueno;
su gran amor perdura para siempre.*

SALMO 106:1

56

«Aprendo de mi hija».

No sabía que una galletita salada tiene trece agujeritos. No me acordaba del nombre de los siete continentes ni de los cuatro océanos. Olvido cómo agarrar bien el bate de béisbol, y me sorprendió aprender que hay más de una forma de atar los cordones de los zapatos.

Mi hija está descubriendo el mundo y sus misterios con un entusiasmo y una emoción que yo he perdido debido a mis años de experiencia. Su mente está llena de curiosidad. Su energía es ilimitada. Su tristeza, dolor y enojo desaparecen con rapidez sin dejar resentimiento. A través de la maternidad, Dios me está dando una segunda niñez: una oportunidad de encontrar lo que he olvidado... y aprender lo que no aprendí la primera vez.

Hoy

Jugaré al lado de mi hija y abriré
los ojos a los milagros para que
podamos aprender juntas.

Querido Señor, ayúdame a recordar que no necesito
saber todas las respuestas para criar a mi hija; solo necesito
la disposición de aprender. Sorpréndeme, Señor, con tu
maravilloso mundo.

Escuche esto el sabio, y aumente su saber;
reciba dirección el entendido.

PROVERBIOS 1:5

57

«Hago que las cosas simples sean especiales para mi hija».

Cada día es una celebración del amor de Dios. Algunas veces quedarme en el hogar y hacer las tareas diarias de cuidar a mi hija parecen poco importantes. Mis días se convierten en rutinas comunes, triviales y ordinarias. Olvido lo precioso que es este tiempo con mi hija. Estoy creando una niñez. ¿Cómo serán los cuentos de mi hija sobre este tiempo? Es probable que no recuerde los regalos caros ni los hechos grandes, sino más bien las cosas pequeñas. Hay muchas cosas que puedo hacer para que los tiempos simples sean especiales: despertarla con un beso, hacer tortitas en forma de letras y deletrear su nombre, poner jugo en una taza de café y juntas tomar «café» por la mañana. Iremos de picnic y daremos caminatas, y dormiremos de noche en el patio, y hornearemos tartas sin una razón especial... por la mejor razón de todas.

Hoy

Haré que el día de mi hija sea más
especial, pondré una notita de amor
en la bolsa del almuerzo, alquilaré
una película para una noche de familia
o le serviré leche en copas finas.

Querido Señor, cada día que paso con mi hija es un
día especial, un día para celebrar. Haz que recuerde el
placer y la bendición que hay en las cosas simples.

*Nada hay mejor para el hombre que comer y
beber, y llegar a disfrutar de sus afanes. He visto
que también esto proviene de Dios.*

ECLESIASTÉS 2:24

58

«Le muestro el mundo a mi hijo».

La salida de casa con un niño quizá sea difícil. A veces es más fácil dejarlo en casa. Si salgo sola, puedo terminar mis diligencias con rapidez. No me tengo que preocupar de cómo mi hijo se va a comportar en público. Tal vez al principio no se comporte muy bien; pero nunca aprenderá a comportarse socialmente, o muchas otras cosas, si nunca sale al mundo.

Ah, existen lugares y cosas que no quiero que vea mi hijo. Sin embargo, las maravillas del mundo, las cosas sorprendentes que hizo Dios, quiero que él las vea. Viajes al correo, al supermercado, al parque del vecindario tal vez parezcan cosas insignificantes, pero son un comienzo, un campo de preparación para viajes a los montes Apalaches... al océano Pacífico... a su gran entrada al mundo.

Hoy

Llevaré a mi hijo a la biblioteca

o a un concierto en el parque

o a la feria de la ciudad.

Dios, a menudo vacilo en cuanto a llevar a mi hijo a este mundo maravilloso que tú creaste para nosotros. Por favor, recuérdame que el aprendizaje no solo viene de los libros, sino también de la experiencia.

Clama a mí y te responderé, y te daré a conocer
cosas grandes y ocultas que tú no sabes.

JEREMÍAS 33:3

59

«Soy la mejor madre que puedo ser».

Todas las noches, mientras mi hijo se va quedando dormido, prometo que seré una madre aun mejor mañana. La mayoría de las noches pienso en todas las cosas que debería haber hecho mejor; debería haber sido más paciente, haber bajado la voz, haber pasado más tiempo con mi hijo. ¿Por qué no les presto atención a mis mejores esfuerzos: el amor en mi corazón, mis esperanzas por mi hijo, mi deseo de ser lo mejor que pueda ser?

No hay una condecoración para la mejor madre, no hay bonos financieros por recibir más besos que nadie. Aun así, hay muchos *Te amo* de mi hija, cenas animadas con mi familia y el privilegio de esforzarme cada día por ser la mejor madre posible.

Hoy

Me daré cuenta de que hay maneras

de ser una madre incluso mejor,

pero también reconoceré

las cosas que hago bien.

Padre celestial, permite que cada mañana despierte
con la emoción de un nuevo día, con el deseo y tu ayuda
para ser la mejor madre que puedo ser.

Aquí me tienen, con los hijos
que el SEÑOR me ha dado.

ISAÍAS 8:18

60

«Soy bendecida
por ser madre».

Siempre supe que quería ser madre algún día, pero en realidad nunca supe qué esperar. No creo que ninguna mujer lo sepa de verdad. Cuando esperaba el nacimiento de mi hijo, la gente me decía: «Un hijo te cambiará la vida». Tenían razón. Cada día es una sorpresa todavía. No sé qué esperar aún. Así que confío en Dios para que me guíe en la aventura de la crianza de mi hijo. Y qué aventura es esta. ¿Por qué me eligió para criar a este hijo? ¿Sabía que mi corazón estaba lleno de amor? ¿Sabía que soy más fuerte de lo que yo pensaba? Lo que sea que supiera Dios, estoy muy contenta de que me confiara mecer a este hijo hasta que se durmiera, darle un beso para que desaparezca el dolor, criarlo y prepararlo. Debe haber sabido cómo atesoro la bendición de mi hijo... de ser madre.

Hoy

Daré gracias
por ser madre.

Dios, tú me has dado el mayor regalo que puede recibir una mujer. Tú me has dado el don de ser madre. Y soy bendecida.

La mujer [...] en cuanto nace la criatura se olvida
de su angustia por la alegría de haber traído
al mundo un nuevo ser.

JUAN 16:21